CANTATAS AND CANZONETS
FOR SOLO VOICE

Recent Researches in the Music of the Baroque Era is one of four quarterly series (Middle Ages and Early Renaissance; Renaissance; Baroque Era; Pre-Classical, Classical, and Early Romantic Eras) which make public the early music that is being brought to light in the course of current musicological research.

Each volume is devoted to works by a single composer or in a single genre of composition, chosen because of their potential interest to scholars and performers, and prepared for publication according to the standards that govern the making of all reliable historical editions.

Subscribers to this series, as well as patrons of subscribing institutions, are invited to apply for information about the "Copyright-Sharing Policy" of A-R Editions, Inc., under which the contents of this volume may be reproduced free of charge for performance use.

Correspondence should be addressed:

A-R Editions, Inc.
152 West Johnson Street
Madison, Wisconsin 53703

RECENT RESEARCHES IN THE MUSIC OF THE BAROQUE ERA　　•　　VOLUME XV

Giovanni Legrenzi

CANTATAS AND CANZONETS FOR SOLO VOICE

Part II: Music for Soprano (or Tenor) Voice

Edited by Albert Seay

A-R EDITIONS, INC. • MADISON

Contents

Part II

CANTATAS AND CANZONETS
FOR SOLO VOICE

I

Che non fa, che non può, Don - na ch'è bel - la, Don - na ch'è

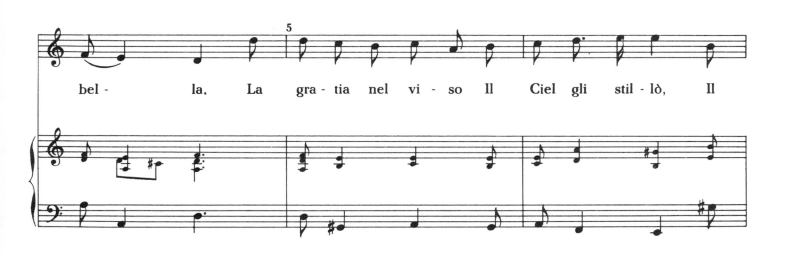

bel - la, La gra - tia nel vi - so Il Ciel gli stil - lò, Il

Ciel gli stil - lò; A - mor gli do - nò i dar - di ne guar - di, le

la.

Seconda

Che non fa, che non può, Va - go sem - bian - te, va - go sem -

bian - te Col ar - co d'un cig - no Sa - et - ta o - gni cor; Sa -

et - ta o - gni cor; E tan - to l'ar - dor d'un guar - do che splen - de, Ch'ar -

den - do fla - gel - la Con fa - ce si bel - la Un pet - to co - stan - te.

Con fa - ce si bel - la Un pet - to co - stan - te.

Che non fa, che non può, Va - go sem - bian - te, va - go sem-

bian - te; Va - go sem - bian - te, Va - go sem - bian -

te.

[Recitativo]

O Ciel, chi vid-de ma-i bel-tà più pe-re-gri-na del mio so-le a-do-ra-to, Se l'a-spet-to gen-ti - le sfio-rò di ro-se il più vez-zo-so A-pri - le; Mi-ra-te-la, Mi-ra-te-la reg-

nan-te, tem-pe-sta-ta di rag - gi in Tro-no al-te - ro, Do-ve il brio lu-sin-

ghie-ro di-lu-vian-do splen-do-ri Con fa-cel-le si bel - le, Con fa-cel-le si

bel-le ac-cen-de i co-ri._____ Si, si, ch'è for - za lan-gui - re,

Si, si, ch'è for - za lan-gui - re, ch'è for - za lan-gui - re per

va - ga bel - tà, _____ ch'è for - za lan - gui - re per va - ga bel - tà.

[♩. = 120]

Ha boc - ca che ri - de, Ha un oc - chio ch'uc - ci - de, Re - si - sta chi sa, re - si - sta chi

sa. Ha boc - ca che ri - de, Ha un oc - chio ch'uc - ci - de, Re - si - sta chi

sa, re - si - sta chi sa.

[♩ = 120]

Si, si, ch'è for - za lan - gui - re,

Si, si, ch'è for-za lan-gui-re, ch'è for-za lan-gui-re per va-ga bel-tà,_____

_____ Ch'è for-za lan-gui-re per va-ga bel-tà.

Seconda

No, no, ch'il col-po a-mo-ro-so, No, no, ch'il

col-po a-mo-ro-so, ch'il col-po a-mo-ro-so fug-gir non si può,_____

ch'il col-po a-mo-ro-so fug-gir non si può.

Al dar-do fa-ta-le D'un cie-co ch'ha l'a-le Re-si-ster non so, re-si-ster non so.

Al dar-do fa-ta-le D'un cie-co ch'ha l'a-le Re-si-ster non so, re-si-ster non so.

No, no, ch'il col-po a-mo-ro-so, No, no, ch'il

col - po a - mo - ro - so, ch'il col - po a - mo - ro - so fug - gir non si può, _____ ch'il

col - po a - mo - ro - so fug - gir non si può.

II

[Recitativo]

A po-ve-ro a-ma-tor, ric - co d'af-fet - ti, Lil - la che in-gor-da e a-

D'un crin bion-do il bel te - so - ro; A gl'E-li - sii del con - ten - to_ Gion-ge sol_ chi ha'l

ra - mo d'o - ro, Gion-ge sol_chi ha'l ra - mo d'o - ro. A gl'E-li - sii

del con-ten-to_ Gion-ge sol_chi ha'l ra - mo d'o - ro, chi ha'l ra - mo d'o -

Seconda

ro. È la fè d'un cor co - stan - te,

È la fè d'un cor co - stan-te_ Ca-pi - tal che_nul-la ren-de, che nul-la ren-de,__

Ca-pi - tal che nul-la ren - de, È'l ser-vir che fa un A - man-te _ Mer-can-tia_ che

non_ si ven - de, Mer-can - tia_ che non_ si ven - de, È'l ser-vir che

fa un A - man-te_ Mer-can-tia_ che non_ si ven - de, che non_ si ven -

[Recitativo]

de."

Dun - que sog-gion-se A-min - ta: "Per-chè di bion-do A-ri - ste mes-se do-vi - ti - o-sa a me non co - glie ru - sti-co A-gri-col - to-re; È ste-ri-le per me'l ter-ren d'A-mo-re? Per-chè ne Tet-ti mie - i qual di Da-nae nel se - no un

Gio-ve in piog-gia d'or non si pro-fu-se? Le mi-nie-re d'A - mor Per me son

chiu-se? Da gl'E-spe-rii giar-di - ni per far-ne do-no a le tue bra-me in-

gor-de, Ra - pir l'au-ra-te Po - ma. O d'in-vo-lar la pre-ti-o-sa

pel-le del Fri-gio mo-stro non mi dier' le stel - le. E che dun-que far poss'

rai, non gra - di - rai, non gra-di-ra-i?"   Dis - se Lil - la: "Ed a che

pro, a che pro?"   "E pie-ta-de non m'a-vra-i?"   Li ri -

spo - se: "Non___ si___ può, non si può, non___ si___ può,___

___ non si può."   Co - si'l mi - se - ro ap -

III

Tan - ta____ fe - de, e do - ve va, do - ve? e do - ve

va? Se - pe - li - ta nel ri - go - re Non si cre - de al mio____ do - lo - re E il ri-

dir - lo è____ va - ni - tà, è____ va - ni - tà. Se - pe - li - ta nel ri - go - re Non si

cre-de al mio do-lo-re E il ri-dir lo è va-ni-tà, è va-ni-tà. Tan-ta

fe - de, e do-ve va, do-ve? e do-ve va?

[Recitativo]

Par - lo con te: O-ron - ta u-di, a-scol - ta: Gra-di-sci mie que-

re - le fu-ne-ste; For-si sa-ran l'ul-ti-me vo-ci que -

ste. O- ve na-sce-ste mai, bel- la ti - ran- na dal Cau-ca- so ge - la - to, O dal Ir - ca- ne

sel - ve, do- ve la fe- ri - tà pren- de il suo sta - to? Ma no;

Che tu tra- he-sti dal- le più ec-cel- se schie- re i tuoi na - ta - li, E di spir- ti re-

a - li t'in - fiam - mò, T'a- dor- nò l'al - to mo - tor del - la to - nan -

- te sfe - ra. Cru - di gl'An - gio - li

son ___ se tu ___ sei fie - ra. Cru - di gl'An - gio - li

son ___ se tu ___ sei fie - ra.

Cer-co la li-ber-tà e i lac - -

32

E far-fal-la fe- del nel fo-co io mo - ro.

Aria [♩ = 90]

Non pos - so, non

pos - so, non___ pos-so, no, no; No, no, non___ pos-so, no,

no; No, no, non___ pos-so, no, no; La - sciar - ti, mio

be - ne; Son ca - re le pe - ne, Son dol - ci i tor - men - ti; Ch'ha que - sto mio

co - re, Con tan - to ri - go - re Di fin - te dol - cez - ze il Ciel de - sti -

nò; Ch'ha que - sto mio co - re, Con tan - to ri - go - re Di fin - te dol -

cez - ze il Ciel de - sti - nò; Ch'ha que - sto mio co - re, Con tan - to ri -

go - re Di fin - te dol - cez - ze il Ciel de - sti - nò. Non pos - so,

Non pos - so, Non___ pos - so, no, no; No, no, non___

pos - so, no, no; No, no, non___ pos - so, no, no:

Quegl' oc - chi di fo - co Ch'a - mo - re per

gio - co Con - ces-se al tuo vol - to, Son va - ghi ma fie - ri, son dol-ci e se-

ve - ri; Co - sì per mio ma - le il Ciel de - sti - nò; Son va - ghi ma

fie - ri, son dol-ci e se - ve - ri; Co - sì per mio ma - le il Ciel de - sti -

nò; Son va - ghi ma fie - ri, Son dol-ci e se - ve - ri; Co - sì per mio

ma - le il Ciel de - sti - nò. Non pos-so, Non pos-so, non___

pos-so, no, no; No, no, non___ pos-so, no, no.

No, no, non___ pos-so, no, no.

[♩ = 120]

On - de ri - cer-co in van___ la li - ber - tà, la

li - ber - tà. Tan - ta_____ fe - de, e do - ve va, do -

ve? e do - ve va? Se - pe - li - ta nel ri - go - re Non si

cre - de_al mio___ do - lo - re E_il ri - dir - lo è___ va - ni - tà, è___ va - ni - tà. Se - pe -

li - ta nel ri - go-re Non si cre - de_al mio___ do-lo-re E_il ri-dir-lo_è___ va - ni - tà, è___ va - ni -

tà. Tan - ta___ fe - de, e do - ve va, do - ve? e do - ve va?

IV

[♩ = 60]

Del ma - tin sù___ l'o - ri - zon - te,___ Spun - ta___

l'al - ba e un sol, e un sol___ s'a - do - ra; Vo - glio a - mar

più va - ga Au - ro - ra ___ Ch'a - pre ogn' or ___ due so - li in fron -

te. Vo - glio a - mar più va - ga Au - ro - ra ___ Ch'a - pre ogn'or ___ due

so - li in fron - te; Ch'a - pre ogn' or ___ due so - li in

fron - te.

[Recitativo]

Ma se co-lei ch'al mon-do scuo-te in grem-bo la lu - ce, Ogn' or di

pian - to per-chè ri-da-no i fior suoi lu-mi a-sper - ge, Ver-so l'i-dol ch'a-

do-ro, Va-ria sor - te prov' i - o, Che'l ri - so è dell' Au-ro-ra;

Il pian - to, Il pian-to è mi - o,_____ Il pian-to è

mi - o, __ Che'l ri - so è dell' Au - ro - ra; Il pian - to, Il

pian - to è mi - o, __ Il pian - to è mi - o, __ Il

pian - - - to, Il pian - to è mi - o. __

Aria [♩ = 90]

Se pian - ge - te, __

se pe - na - te,___ se pe - na - te,___ Oc - chi miei,___ lo

di - ca A - mor, lo di - ca A - mor.___ Se pian -

ge - te,___ se pe - na - te,___ se pe - na - te,___ Oc - chi

miei,___ lo di - ca A - mor, Oc - chi miei,___ lo di - ca A -

na - te,___ se pe - na - te,___ Oc - chi miei,___ lo di - ca A -

mor, Oc - chi miei,___ lo di - ca A - mor. A - mo l'Au - ro - ra, E

ve - ro d'ogn' al - tro sol a - mo l'Au - ro - ra a scor - no. Ne spun - ta

mai, mai, mai,_____ de le mie gio -

- ie il gior - no, _____ de le mie gio -

- ie il gior - no. _____

Aria [♩ = 120]

Dim - mi, Dim-mi spe-ran - za tu, Dim-mi se gio - i - rò, se gio - i -

rò. Non tor-men-tar - mi più,___ Non tor-men-tar - mi più,___ Ca - ra,

Ca - ra, non dir di no, non dir di no, Ca - ra, Ca - ra, non dir di no.

145

Dim - mi spe - ran - za tu, Dim - mi se gio - i - rò, se gio - i - rò,

Dim - mi, Dim - mi, Dim - mi se gio - i - rò, se gio - i - rò.

150 [♩ = 120]

L'Au - ro - ra an - cor fe - con - da sù le chio - me del dì spar - ge il se - re - no;

za, T'in-te-si spe-ran-za, T'in-te-si spe-ran-za, T'in-te-si, T'in-te-si spe-ran-za, T'in-te-si, T'in-te-si spe-ran-za.

T'in-te-si spe-ran-za, Re-si-sti al tor-men-to; Dar pe-na e con-ten-to D'A-mor è l'u-san-

za, D'A- mor è l'u - san - - - - - za. T'in - te - si spe-ran-za, T'in-

te-si spe-ran - za, T'in-te-si, T'in-te-si spe- ran - za, T'in-te-si, T'in-

te- si spe - ran - za.

V

Mia ra-gio-ne, all' ar-mi, all' ar - mi, all' ar - mi,   all' ar-mi, all'ar - mi, all'

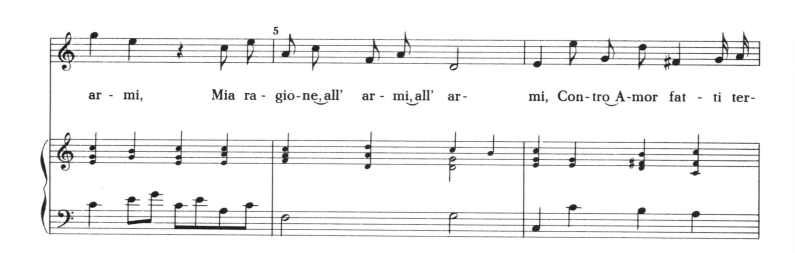

ar - mi,   Mia ra - gio-ne, all' ar-mi, all' ar -   mi, Con-tro A-mor fat - ti ter-

ri - bi-le,   Poi-chè ten-ta un im-pos - si-bi-le   Per___

più fie - - ro tor-men-tar - - mi, Poi - chè ten-ta un im - pos -

si - bi - le Per_____ più fie - - ro tor-men-tar -

mi. Mia ra - gio-ne, all' ar-mi, all' ar - mi, all' ar - mi, all' ar - mi, all' ar - mi, all'

ar - mi, Mia ra - gio-ne, all' ar-mi, all' ar - mi.

[Recitativo]

Di due lu - ci hai se - re - no a pe - na fat - ta l'al - ma mia sog-

get - ta; Se A- mor d'og-ni sa - et - ta Che scoc - ca l'ar - co suo me - ta il mio

co - re,__ A sa-nar la fe - ri - ta, Ad is-peg-ner l'ar - dor ch'in sen m'ac-ce - se,

Fat- to cau - to a mie spe - se, Ri - cor-si al-la par-ti - ta Con i -spe-ran-za sal - da,

Vuol strap-par-mi il cor dal pet-to, E por-tar-lo on - de fug - gi,

[Recitativo]

E vuol l'em - pia ch'io pro - vi Con e-ter-no do-

lor ch'il sen mi strug - ge. Che quel ch'in cor si por - ta In

van si fug - ge, In van si fug - ge.

[Recitativo]

E l'al-ma ne-ghi-to-sa Fra gl'as-sal-ti mor-ta-li, Non cu-ran-do i suoi ma-li, Ne-glet-ta se ne po-sa? Ah, Ah,___ per-chè si co-dar-da A rin-tuz-zar l'ar-di-to, a-ni-ma mia, si tar-da? Sù, sù, chia-ma i pen-sie-ri Del-la tua vo-lun-tà for-ti guer-rie-ri; Fa ch'in-ti-mi-vo au-da-ci Al

rio per - tur - ba - tor del - le mie pa - ci, Che vuò se - co ci - men - tar - - mi.

Mia ra - gio - ne, all' ar - mi, all' ar - mi, all' ar - mi, all' ar - mi, all' ar - mi, all' ar - mi, Mia ra - gio - ne, all' ar - mi, all' ar - mi, Con - tro A - mor fat - ti ter - ri - bi - le, Poi - chè ten - ta un im - pos - si - bi - le Per

più fie - ro tor-men-tar - mi, Poi-chè ten-ta un im-pos-

si - bi - le, Per più fie - ro tor-men-tar -

mi. Mia ra-gio-ne, all' ar-mi, all' ar-mi, all' ar-mi, all' ar-mi, all' ar-mi, all'

ar-mi, Mia ra-gio-ne all' ar-mi, all' ar - mi.

VI

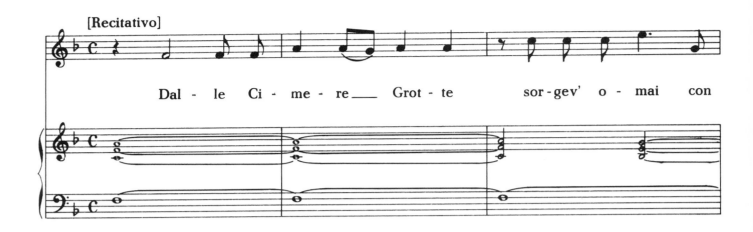

[Recitativo]

Dal - le Ci - me - re___ Grot - te sor - gev' o - mai con

te - ne - bro - so ve - lo la ne - mi - ca del di - e; Cin - tia nel Cie - lo spar-

gea suoi va - ghi ar - gen - ti, Quan - do in om - bra mi - rai la gra - di - ta ca-

gion de miei tor - men - - - ti.

Aria [♩.= 90]

Con vol - to se - re - no, Con guan - cie di

ro - se, Con lab - bra vez - zo - se, Con vol - to se - re - no, Con guan - cie di

ro - se, Con lab - bra vez - zo - se, Com - par - ti - va d'A - mor, Com - par - ti - va d'A-

mor l'a-spro ve-le - no; E de mi-se-ri A-man-ti scher-nia gl'af-

fet-ti, E si ri-de - - - a dei pian -

ti, E de mi-se-ri A-man-ti scher-nia gl'af-fet-ti, E si ri-de - a, E si ri-

de - - - a dei pian - ti.

[Recitativo]

Ma gua - ri non an - dò si bal - dan - zo - sa che
la fa - re - tra a-sco - sa te - se Cu-pi - do e_ri - o, E pia - gò nel bel sen
l'I-do-lo mi - o. On - de dal duol traf - fit - ta Pun - ta da stra-le au-
ra - to Nel sem - bian-te a - do - ra - to, Le la-cri - man - ti e va - ghe lu - ci

Adagio [♩ = 60]

[♩ = 120]

Aria con affetto [♩ = 90]

fis - se, E si can - tan - do dis - se: "Ca - ro___ ben,___

Ca - ro___ ben,___ u - ni - ca spe - ne,___ Mio te -

so - ro per cui mo - ro, Ver me vo - gli__ più se - re - ne Le pu - pil - le_j ca - ri ra - i,

Mio te - so - ro per cui mo - ro, Ver me

vo-gli_ più se-re-ne Le pu-pil-le_i ca-ri ra - i. Ne fia ma-i che si

spez - - - zi Per me quel dol - ce

[6]

no - do, Per cui lan - gui-sco e pur lan - guen -

- do, lan - guen - - do, lan - guen - - do i____

go - do, Per cui lan - gui - sco e pur lan-guen-do i go - do. __

Seconda

Nell' al - ber - go, Nell' al - ber - go

del tuo __ se - no, __ Da ri - cet-to vez - zo - set -to A quest'

al - ma che vien me-no, La-scia, La-scia il fier ri - go - re, Da ri -

cet -to vez- zo-set - to   A quest' al - ma che vien me-no, La-scia,

La-scia il fier ri - go - re.   Che s'A- mo-re del mio mal_____

_____ e Ca-gion del -le mie pe - ne, Io strin-go i

lac - ci   e bac-cio le ca - te-   ne, le ca - te-

ne, le ca - te - ne, Io strin-go i

lac - ci e bac-cio le ca - te - ne."

[Recitativo]

Co-si Au-ril - la can - tò vers' il stu - pi-do A- man-te, "Mer-cè,

6   5

[♩ = 60]

pa- ce im-plo - rò." Ma di giel fat- to a___ suo - i ca - no - ri ac - cen - ti,

5

67

Sprez-zò i so-spi-ri e_____ non cu-rò i la-men-ti, Sprez-zò i so-

spi-ri e_____ non cu-rò, e_____ non cu-rò i la-men-ti.

VII

Sul bel mat-ti-no Men-tre ch'in fio-ra La_____

no-va Au - ro - ra___ L'o - do - ro - sa sua cul - la, Al___ sol bam-

bi - no, Al___ sol bam - bi - no, Tut - ta___ vez-

zo - sa A - pre la ro - sa, Ri - den-do il se - no E___ va - gheg-

giar, E___ va - gheg - giar,___ E___ va - gheg-

giar___ si fa. Ma che pro tan-ta bel-tà S'al tra-mon-

tar___ del gior-no, Del suo ver-mi-glio a scor-no, Pal-li-da e

sco-lo-ri-ta al suol ca-drà, al suol ca-drà,___ Pal-li-da e

sco-lo-ri-ta al suol ca-drà.

Seconda

L'er- bet-ta hu - mi - le

Scet - tro le do - na, Poi___ l'in- co - ro - na___ Per-chè re-

gi - na sia; L'i - stes-so A - pri - le, L'i-

-stes-so A - pri - le. E il___ Ciel___ in - tan - to Col mol - le

pian - to L'o - do - ro - so spi - rar_____ Le___ pre -

- sta, Le pre - sta, Le___ pre - sta e da.

Ma che pro tan - ta bel - tà S'al tra - mon - tar___ del gior - no,

Del suo ver - mi - glio a scor - no, Pal - li - da e sco - lo - ri - ta al

suol ca - drà, al suol ca - drà,___ Pal - li - da e sco - lo - ri - ta al

suol ca - drà.

Fil - li,___ par-lar - ti vo - glio:

La tua guan-cia gen-til___ ro-sa mi sem-bra, Ma tu del fra-gil do - no non

su - ber - pir co - tan - to: Poi ch'il fior di bel - tà ra -

- pi - do fug - ge; E s'un

gior - no il pro - du - ce, Un dì lo strug - ge,___ Un dì lo

strug - ge, E s'un gior - no il pro - du - ce,

Un dì lo strug - - ge,___ Un dì lo strug -

ge, Un dì lo strug - ge, Un dì___ lo strug - ge.___

VIII

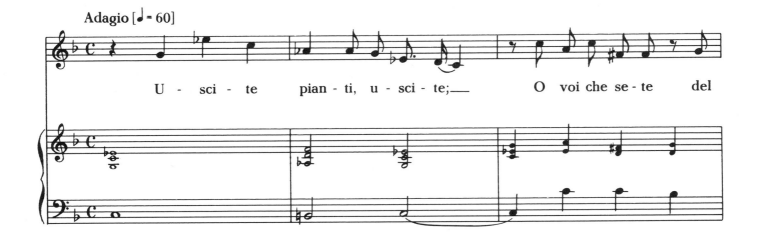

U - sci - te pian - ti, u - sci - te;___ O voi che se - te del

mio do-len-te cor___ li - - qui-de vo - ci; U - sci-te pur ve -

lo - - - ce in-fo-ca-ti so-spi-ri,___ Che per l'I-do-lo mio va-go e ter-

re - no pian - go, pian - go di-lu-vii, E ho mon-gi-bel - li in

se - no.___ U - sci-te, U - sci-te pur ve - lo - - - ce in-fo-

ca - ti so - spi - ri, ___ Che per l'I - do - lo mio va - go e ter - re - no pian - go,

pian - go di - lu - vii, E ho mon-gi- bel - li in se - no. ___

Aria adagio [♩ = 60]

E ho mon-gi- bel - li in se - no. Di la - cri - me a - sper - so mio ___

co - re sen va, De - sti - no per - ver - so è sen - za pie - tà. Di

to, Può far ch'io ri-da ed a-sciu-gar-mi il pian - to, ed

[Recitativo]

a - sciu - gar-mi il pian - to. Ma che gio-va mio

co-re al mar di cru-del - tà, Dell' em-pia Fil - li tri-bu-la - re degl' oc-chi i vi-vi ar -

gen - ti. Che gio-va all' al - ma mi - a ver-so un Cie-lo di bron-zo mul-

ti - pli - car pre-ghie - re, S'il mio be-ne a - do - ra - to, o Ciel o Mar che

si - a, Non mi può dar con - so - lo. Men - tr'è Ciel sen - za fè,

Mar sen - za por - to, Men - tr'è Ciel sen - za fè,

Mar sen - za por - to. Dam - mi, A-mor, Dam - mi, A-mor, la li - ber-

tà, Dam - mi, Dam-mi, A-mor, la li-ber-tà per u-scir da tan-ti

gua - i; Cru-do Ar-cie-ro e quan-do mai il mio cor sciol - - - to,

sciol - to sa-rà? Dam-mi, Amor, —— Dam-mi, A-mor, la li-ber-

tà, Dam - mi, Dam-mi, A-mor, la li-ber-tà, Dam-mi, A-

Seconda

mor, la li‑ber‑tà.

Non ri‑spon‑di,___

Non ri‑spon‑di a que‑sto cor, Non ri‑spon‑di, Non ri‑spon‑di a que‑sto

cor, Nu‑me per‑fi‑do spie‑ta‑to, Per‑chè re‑sti di‑spe‑ra‑to, Mu‑to e sor‑

do è'l___ cie‑co A‑mor. Non ri‑spon‑di,___

Non ri-spon-di a que-sto cor, Non ri - spon - di, Non ri-spon-di a que-sto

cor, Non ri - spon-di a que-sto cor.

Co-si Li - dio di - cea, pian-gen-do in - tan - to, Cre - sce-van le sue

fiam - me, Cre - sce-van le sue fiam-me in⎯⎯⎯ mar di pian-

IX

le,

Vuol per far - mi di - spet - to a - mar - ne mil - le.

Seconda [♩.=120]

Chi di voi mi da con - si - glio

Per do - ma - re un cor sfre - na - to Che d'ogn' u - na in - ca - pric - cia - to

Sem - pre sta, Sem - pre sta su'l dar di pi - glio. Chi di voi mi

da con - si - glio___ Per do - ma - re un cor sfre - na - to Che d'ogn' u - na in -

ca - pric - cia - to Sem-pre sta, Sem-pre sta___ su'l dar di___ pi - glio,___

___ Sem-pre sta, Sem - pre sta,___ su'l dar di___ pi - glio.___

S'ei

ve - de u - na Da - ma, La se - gue, la bra - ma, Sia brut - ta, sia bel - la, Vuol

que - sta, vuol quel - la. E s'a ca - so io lo ri - pren - do, Di - ce all' hor ch'io non l'in -

ten - do, Che sian bru - - ne o sian bian - che o bel - le o brut - te, Vuol per far - mi di -

spet - to a - mar - le tut - te, Vuol per far - mi di - spet - to,

Voul per far - mi di - spet - to a - mar - le tut - te.

Voul per far - mi di - spet - to a - mar - le tut - te.___

X

[♩ = 120]

Mi nu - dri - te di spe - ran - za, Mi___

___ nu - dri - te di spe - ran - za,___ Lu - ci bel - le, va - ghe stel - le, Ma d'A-

Non spe - ra più.

Tan-to è

dol - ce per voi, per voi la____ ser - vi - tù,

Com' è ca - ra____ la co - stan - za, Com'____ è ca - ra - la co -

stan - za. Tan-to è dol - ce per voi, per

voi la___ ser - vi - tù, Com' è ca - ra___ la co - stan - za, Com'

___ è ca - ra la co - stan - za, Com' è ca - ra___

___ la co - stan - za, Com'___ è ca - ra la co - stan - za.

Mi nu - dri - te di spe - ran - za, Mi_____ nu -

dri - te di spe - ran - za.

Seconda

Voi sa - pe - te il mio do - lo - re, Voi___

___ sa - pe - te il mio do - lo - re,___ Lu - mi ar - den - ti ne con - ten - ti Vi mo-

stra - te di mie do - glie, Vo - stre vo - glie, vo - stre vo - glie di sa - tiar, Io più non

so, non so, non so, Io più non so. Lu-mi ar-den-ti ne con- ten- ti Vi mo-stra - te di mie

do-glie, Vo-stre vo-glie, vo-stre vo-glie di sa - tiar. Io più non so, non so, non

so, Io più non so, Io più non so, non so,

Io più non so, Io più non so.

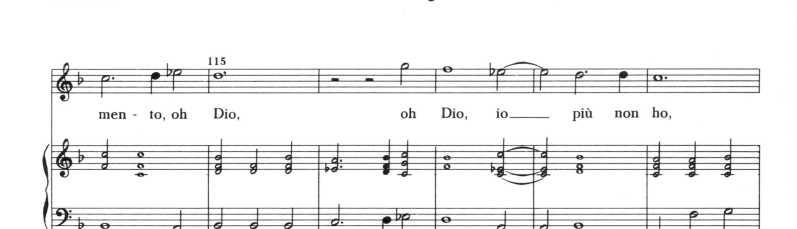

Se per-du - to ho___ sin' il co - re, Se___ per - du - to ho

sin' il___ co - re, Se per du - to ho___ sin' il

co - re, Se___ per - du - to ho sin' il___ co - re.

Voi sa - pe-te il mio do - lo - re. Voi_____ sa -

pe-te il mio do - lo - re.

XI

[♩ = 120]

Non c'è che di - re, no, no; Non c'è che di - re, la vo - glio co-

sì, la vo-glio co-sì, la vo-glio co-sì. Non c'è che di-re la vo-glio co-

sì, la vo-glio co-sì. Al-let - to col guar-do, Col ri - so lu-

100

Or se vi pia - ce, Or se vi pia-ce Al-la mia fa-ce In-ce-ne-ri - re ve-ni - te

si, ve - ni - te si, ve-ni - te si. Or se vi pia - ce, Or se vi

pia-ce Al-la mia fa-ce In-ce-ne - ri - re ve-ni - te si, ve - ni - te si,

In-ce-ne-ri - re ve-ni - te si. Non c'è che di - re, no,

no; Non c'è che di - re la vo-glio co - sì, la vo-glio co-sì,   la vo-glio co-sì,

Non c'è che di - re la vo-glio co - sì, la vo-glio co-sì.

XII

V'ho in - te - so,   V'ho in-te-so ab-ba-stan - za,   V'ho in-te-so ab-ba-stan-za, Non mi

di - te di più; Mi vo - le-te in ser - vi - tù Sen - za pun - to di spe - ran - za,

— Non mi di - te di più; Mi vo - le-te in ser - vi - tù Sen - za pun - to di spe-

ran - za. V'ho in - te - so, V'ho in - te-so ab-ba - stan - za, V'ho in - te-so ab-ba-

stan - za. Il mio cor_____ nis-

più; Mi vo - le - te in ser - vi - tù Sen - za pun - to di spe - ran - za.___ V'ho in -

te - so, V'ho in - te - so ab - ba - stan - za, V'ho in - te - so ab - ba - stan - za.

Oc - chio bel ___ io ___ mai non vuò, Se cru - del lo ___

mi - re - rò, Se cru - del, Se cru - del lo ___ mi - re - rò,

Oc-chio bel io mai non vuò, Se cru-del lo mi-re-rò.

[Recitativo]

Che que-sta é d'o-gni a-man-te ar-te a-mo-ro-sa:

Tan-to a don-na ser-vir, quan - to, quan-to è pie-to-sa.

Tan-to a don-na ser-vir,

Tan - to a don - na ser - vir, quan - to, quan - to è pie -

to - sa. Ch'il pe - na - re, tor-men - ta - re Sen - za spe-me è stra - va -

gan - - - -

- - - za.

Da Capo al [𝄐]